컬러풀 세계 여행

집쑤

컬러풀 세계 여행

발행	I	2024년 4월 15일
저자	I	집쑤
디자인	I	어비, 미드저니
편집	I	어비
펴낸이	I	송태민
펴낸곳	I	열린 인공지능
등록	I	2023.03.09(제2023-16호)
주소	I	서울특별시 영등포구 영등포로 112
전화	I	(0505)044-0088
이메일	I	book@uhbee.net

ISBN I 979-11-94006-05-3

www.OpenAIBooks.com

컬러풀 세계 여행

집쑤

목차

경복궁 (근정전) – 대한민국

경복궁은 대한민국 서울에 위치한 조선왕조의 궁궐로, 1395년에 건립되었습니다. 아름다운 근정전, 경회루 등 역사적인 건물들과 넓은 정원이 돋보이며, 전통 가옥과 역사적 분위기가 풍깁니다. 서울의 중심에 자리하여 역사와 문화의 중요한 상징으로 여겨지며, 많은 관광객과 역사 애호가들이 찾는 명소 중 하나입니다.

노이슈반슈타인 성 – 독일

노이슈반슈타인 성은 독일 바이에른 주 알프스 산맥에 위치한 독특하고 아름다운 성으로, 신화적인 외관과 풍부한 역사를 자랑합니다. 19세기에 건축된 이 성은 독일 로맨티시즘의 상징이며, 왕 루트비히 2세의 꿈과 상상력이 담긴 곳으로 유명합니다. 투어 및 전망대를 통해 성과 자연의 아름다움을 경험할 수 있습니다.

마추픽추 – 페루

마추픽추는 페루 안데스 산맥에 위치한 고대 도시 유적으로, 15세기에 정교한 돌로 건설된 잉카 문명의 도시입니다. 해발 2,430m에 솟아 있는 이 도시는 성곽, 테라스, 사원 등이 고도의 기술과 예술로 조성돼 있어 세계 7대 불가사의 중 하나로 꼽히고 있습니다.

마테호른 – 스위스

마테호른은 스위스 알프스 산맥에 솟아 있는 봉우리로, 유명한 등산 명소 중 하나입니다.

해발 4,478m에 위치하여 스위스와 이탈리아 국경에 걸쳐 있습니다. 아름다운 풍경과

눈에 띄는 뾰족한 봉우리로 유명하며, 산악인들 사이에서는 매우 인기 있는 등산지로

알려져 있습니다.

만리장성 - 중국

만리장성은 중국의 역사적인 방어선으로, 기원전 4세기부터 기원후 17세기 사이에 걸쳐 건설되었습니다. 고대 중국의 국경을 보호하고 침입을 막기 위해 세워진 이 성벽은 동양의 건축 기술의 훌륭한 증거입니다. 총 길이는 약 21,000km로, 세계에서 가장 긴 인공 구조물 중 하나로 꼽힙니다. 현재는 중국의 대표적인 관광 명소 중 하나로 인정받고 있습니다.

머라이언 - 싱가폴

싱가폴의 머라이언 분수는 마리나 베이 샌즈 호텔 앞 바다에 위치한 분수입니다. 이 분수는 사자의 머리와 물고기의 몸통이 융합된 형상으로, 싱가폴의 상징적인 랜드마크 중 하나입니다. 밤에는 다양한 빛과 음악과 함께 연출되어 놀라운 광경을 선사하며, 분수에서 나오는 물의 움직임과 음악이 조화를 이루는 쇼가 매일 반복됩니다.

모아이 - 칠레

모아이는 기원전 13세기에서 16세기에 화산암으로 만들어진 거대한 돌 조각상으로, 머리와

몸통이 강조된 형태를 띠고 있습니다. 높이 4m에서 10m까지 다양한 크기와 형태를 가지며,

섬 전체에 걸쳐 배치돼 있습니다. 그 엄청난 무게와 높은 예술성으로 인해 세계적인 미스터리로

여겨지며, 사라진 문명의 역사와 연관된 흥미로운 유물로 간주됩니다.

빅벤 - 영국

빅벤은 영국 런던의 웨스트민스터 궁전에 있는 시계 탑으로, 세계적으로 유명한 랜드마크 중 하나입니다. 1859년에 완공된 이 탑은 정확한 시간을 알리는 거대한 시계 다이얼과 함께 높이 96m의 탑으로 이루어져 있습니다. "빅벤"이라는 이름은 원래 종에 붙어 있던 이름이지만, 지금은 탑 전체를 가리키는 통용어로 사용되고 있습니다.

성 바실리 대성당 – 러시아

성 바실리 대성당은 러시아의 모스크바에 있는 돔 형태의 화려한 동방 정교회 대성당입니다.

1555년에 이바노프 대제의 칭호를 기리기 위해 건설되었으며, 다양한 색상과 복잡한 모자이크

장식으로 유명합니다. 다섯 개의 돔과 뾰족한 탑이 독특한 아름다움을 자아내어 세계적으로

유명한 관광지 중 하나입니다.

세렝게티 – 탄자니아

세렝게티는 탄자니아의 대표적인 국립공원으로, 14,763km²에 걸쳐있어 광대한 초원, 강과
호수, 다양한 야생동물로 유명합니다. 가장 큰 동물 대이동인 '그레이트 마이그레이션'이
여기서 벌어지며, 사자, 코끼리, 얼룩말, 얼룩말, 코뿔소 등 다양한 야생동물이 서식합니다.
아프리카 생태계의 보고이자 생물다양성의 보호구역으로 알려져 있습니다.

스핑크스와 피라미드 – 이집트

스핑크스와 피라미드는 이집트 기자에 있는 고대 건축물로, 기원전 26세기에 건설됐습니다.
피라미드는 쿠푸왕의 파이라미드를 비롯해 체오프라, 미카레노스 등이 있고, 스핑크스는
몸은 사자, 얼굴은 군주의 모습을 한 돌 조각상입니다. 이들은 엄청난 크기와 정교한
건축 기술로 세계를 매혹하며, 오늘날까지 이집트의 역사와 문화를 대표하는 명소입니다.

앙코르와트 – 캄보디아

앙코르와트는 캄보디아에 위치한 고대 도시로, 쿰브호강 유역에 건설된 힌두교 신전으로
유명합니다. 9세기에 건립된 이 거대한 석조 건물군은 놀라운 예술과 공학적 업적으로 가득 차
있습니다. 특히 대표적인 '앙코르와트 왕궁'과 '앙코르와트 왕릉'은 세계 유산으로 등재되었으며,
동남아 최대 규모의 종교 건축물 중 하나로 꼽힙니다.

에펠탑 – 프랑스

에펠탑은 프랑스 파리에 위치한 철제 탑으로, 1889년 제1회 국제박람회를 기념하기 위해
세워졌습니다. 높이 324m로 파리의 대표적인 랜드마크 중 하나이며, 강철로 구성된 그
독특한 외형은 프랑스의 기술적 업적을 상징합니다. 일년 내내 아름다운 조명으로 빛나며,
탑 정상에서 파리의 아름다운 풍경을 감상할 수 있습니다.

예수상 – 브라질

브라질 예수상은 브라질의 리오데자네이루에 위치한 '크리스토 레덴토르', 즉 '그리스도 구세주'를
상징하는 거대한 동상입니다. 1931년에 완공된 이 동상은 높이 30m에 이르며, 코르코바도산의
정상에 자리하고 있습니다. 높은 고도에서 아름다운 리우데자네이루의 경치를 내려다볼 수 있으며,
브라질의 상징적인 명소 중 하나로 꼽힙니다.

오로라 빌리지 - 캐나다

옐로나이프 오로라 빌리지는 캐나다 북부의 아름다운 자연환경에서 오로라를 감상할 수
있는 독특한 장소입니다. 여름철엔 8월부터 10월, 겨울철엔 11월부터 4월까지 오로라를 관측
수 있습니다. 강력한 오로라 활동이 자주 발생하는 이 지역에서는 오로라 및 천문학 관련 행사,
투어 등이 개최되어 오로라를 경험하고자 하는 이들에게 인기를 끌고 있습니다.

오페라 하우스 – 호주

호주의 시드니에 위치한 오페라 하우스는 독특한 디자인과 아름다운 해안 경관을 동시에 감상할 수 있는 건축물입니다. 20세기의 건축적 걸작으로 손꼽히며, 1973년에 개관된 이후 세계적인 공연 예술의 중심지로 자리매김하여 다양한 공연과 이벤트가 개최되는 문화 예술의 중심으로 인정받고 있습니다.

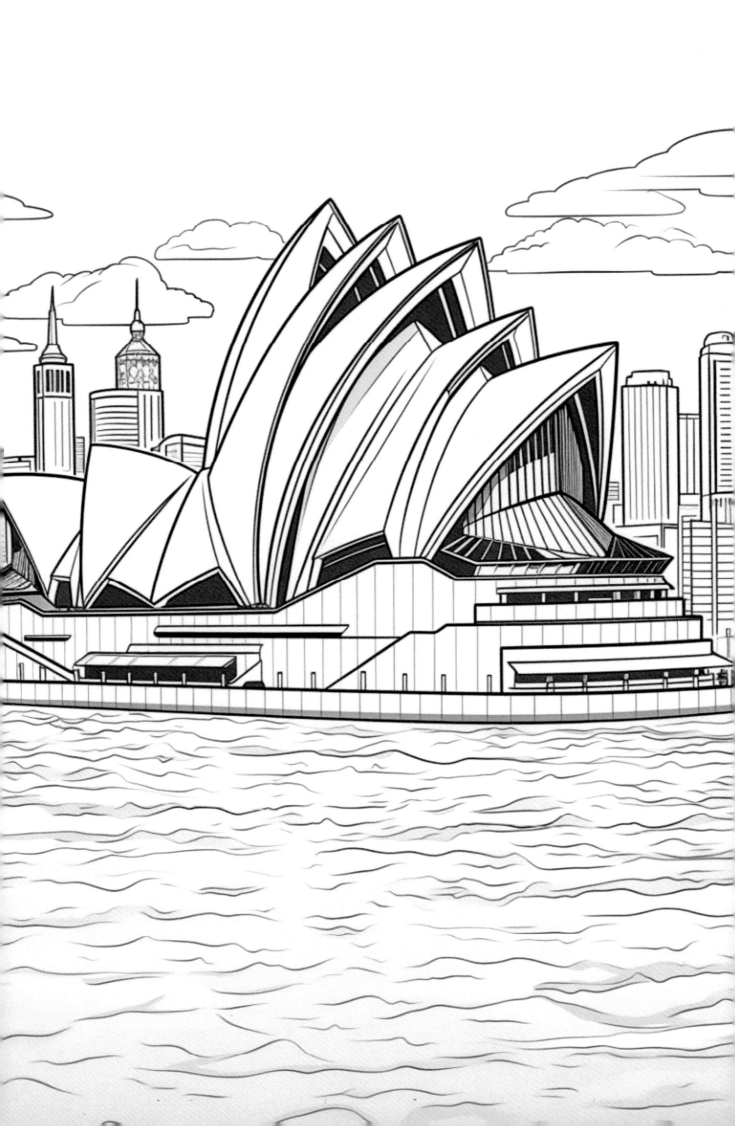

자유의 여신상 – 미국

자유의 여신상은 미국 뉴욕의 리버티 아일랜드에 위치한 동상으로, 프랑스에서 선물로 전해져
1886년에 세워졌습니다. 높이 93m에 이르는 이 동상은 자유, 평화, 민주주의의 상징으로
왼손에는 독립 선언서를 들고 있고, 오른손에는 자유의 등불을 들고 있어 뉴욕의 대표적인
관광 명소 중 하나입니다.

카파도키아 – 튀르키예

카파도키아는 독특한 지형과 돌로 만들어진 터키 중앙부의 도시로, 환상적인 암석 지형,

동굴 주거지, 그리고 독특한 바위 형상으로 유명합니다. 역사적인 도시와 마을, 성과 성당,

동굴 교회 등이 자연 환경과 어우러져 있어 관광객들에게 특별한 경험을 제공합니다.

열기구로 하늘을 날아다니는 것이 인기 있는 활동 중 하나입니다.

콜로세움 - 이탈리아

콜로세움은 이탈리아 로마의 상징적인 건축물로, 1세기에 건립된 고대 로마의 대형 경기장입니다. 놀이와 전투를 위해 사용되었으며, 최대 80,000명의 관중을 수용할 수 있었습니다. 대리석과 벽돌로 지어진 이 건축물은 동서남북으로 80개의 문이 있는 원형 경기장이었으며, 현재까지도 그 웅장한 모습 때문에 세계적인 관광 명소로 손꼽힙니다.

쾨켄호프 – 네덜란드

쾨켄호프는 네덜란드의 린덴에 위치한 꽃의 정원으로, "유럽의 정원" 이라 불리며 봄철에

화려한 꽃들로 가득 찬 아름다운 공간으로 알려져 있습니다. 매년 3월부터 5월까지 개장되는

이 정원은 다양한 튤립, 히아신스, 양귀비 등의 꽃이 화려한 색으로 피어나 전세계의

관광객들을 매료시킵니다.

타지마할 – 인도

타지마할은 인도 아그라에 위치한 대리석으로 만들어진 화려한 무덤이자 제단으로, 17세기에 황제 샤 자한이 아내 뭄타즈 마할을 위해 지었습니다. 아름다운 대리석과 복잡한 장식물, 대규모 정원으로 유명하며, 특히 일출과 일몰 시에 감탄을 자아냅니다. 세계 유산으로 등재되어 있으며, 그 아름다움과 역사적 중요성으로 많은 관광객들의 찾는 명소입니다.

파르테논 신전 – 그리스

파르테논 신전은 그리스의 수도 아테네에 위치한 도리아 양식의 대리석 건축물입니다.

5세기 전반에 걸쳐 건설된 이 신전은 그리스 신화의 여신 아테나를 경배하기 위해 세워졌으며,

기구한 기둥과 주랑 현관, 고층의 건물 구조 등이 돋보이는 그리스 대표 건축물입니다.

그러나 세기에 걸친 파괴와 변형을 겪어 현재는 일부 잔해만 남아 있습니다.

페트라 (알 카즈네)- 요르단

요르단 서남부에 위치한 페트라는 황량한 사막 지대에 자리한 고대 도시로, 화려한 바위로
조성된 고건축물과 장엄한 광경으로 유명합니다. 약 2000년 전 나바테아 문명의 중심지로
번성했으며, 건축물과 조각품의 독특한 양식이 인상적입니다. 가장 유명한 '알 카즈네'는
황토 암벽의 부활 신전으로, 황량한 사막 경치와 어우러져 미스터리한 아름다움을 자아냅니다.

피사의 사탑 – 이탈리아

피사의 사탑은 이탈리아 피사에 위치한 기울어진 종탑으로, 12세기에 건설된 중세 건축물입니다. 높이는 약 56m이며, 착공 시에는 수직이었으나 토양 침하로 인해 기울어졌습니다. 대리석으로 만들어진 이 탑은 피사 대성당 광장에 자리하고 있으며, 아름다운 아치와 두꺼운 기둥들이 특징입니다.

히메지 성 - 일본

히메지 성은 일본의 자랑스러운 성 중 하나로, 현존하는 일본의 성 중에서 가장 아름다운 성으로 평가되고 있습니다. 하얏트(백백토) 기법을 사용한 흰색 벽돌로 유명하며, '백조성'이라는 별명을 가지고 있습니다. 14세기에 건립되어 이후 여러 차례 개보수되었으며, 복잡한 방어 시스템과 아름다운 정원 등이 특징입니다.